3

Deir Áine go bhfuil post iontach ag daidí Mháire. Is seandálaí é. Bíonn sé ag tochailt sa talamh agus ag cuardach seanchnámha, uirlisí agus potaireachta. Cuireann sé cártaí poist chuig Máire ó Mheiriceá Láir agus ó Mheicsiceo.

Guatamala

GUATEMALA
3-16

GUATEMALA
Correo aéreo

Q. 3.00

16 Márta
Na Seandálaithe
Tikal, Guatamala

A Mháire, a stór,
Inniu tháinig mé ar scian
a bhí ag daoine darbh ainm
na Máigigh a bhí beo anseo
a mílte bliain ó shin.
Tá sé millteanach te ag tochailt sa dufair seo.
Le grá, Daidí

Máire Nic Mhuiris
251, Ascaill na gCrann Mór
Carraig an Iolair
CA 90263
SAM

5

Síleann Áine go bhfuil post ar dóigh ag mamaí Chaoimhín. Is píolóta í. Eitlíonn sí ar fud an domhain. Cuireann sí facsanna, ríomhphoist agus cártaí poist chuig Caoimhín ó na háiteanna iontacha ina mbíonn sí.

HOTEL LANTAU

Dáta: 20 Márta
Facs Ó: Deirdre de Barra
Facs Chuig: Caoimhín de Barra

A Chaoimhín,
Tá beagnach seacht milliún
duine ina gcónaí i Hong Cong.
Ní nach ionadh go bhfuil sé
millteanach callánach.
Tá mé iontach sásta go bhfuil
aerfort nua anseo. Tá an
tuirlingt i bhfad níos fusa anois
ag mo 747!

Le grá, Mamaí
IS.   Tá súil agam go bhfuil
tú ag obair go crua ar scoil.

Caibidil 2

TÍREOLAÍOCHT SA PHOST

I seomra ranga Áine tá léarscáil an domhain ar an bhalla. Tá bioráin dhearga agus bioráin ghorma ar fud na léarscáile.

Chuir an múinteoir biorán dearg i Meiriceá Láir leis an áit a raibh daidí Mháire a thaispeáint don rang. Chuir sí biorán gorm i Hong Cong leis an áit a raibh mamaí Chaoimhín a thaispeáint.

"Tá na tuismitheoirí ag teagasc tíreolaíochta dúinn tríd an phost," arsa an múinteoir le Máire agus le Caoimhín.

"Níl mo dhaidí ag teagasc tíreolaíocht ar bith," arsa Áine léi féin.

Lá amháin thug Máire cárta
poist isteach ó Ghuatamala

Guatamala

Márta 29
Na Seandálaithe
Tikal, Guatamala
A Mháire, a thaisce,

Thochail mé cloigeann amach
as an talamh inniu!
Bhí coirníní gorma sa bhéal.
Táimid iontach tógtha cionn
go gciallaíonn sé sin gur
cloigeann rí nó banríona atá ann!

Le grá, Daidí
P.S. An bhfuair tú na coirníní plaisteacha gorma a
chuir mé chugat?

Máire Nic Mhuiris
251, Ascaill na gCrann Mór
Carraig an Iolair
CA 90263
SAM

Chuir mamaí Chaoimhín cárta poist chuige ón Fhrainc.

28 Márta
Páras, An Fhrainc.

Bonjour,
a Chaoimhín,

Bhí mé ag dul a
chur faics chugat
ach shíl mé gurbh
fhearr leat cárta
poist do do leabhar
gearrthóg.

I ndiaidh bricfeasta
(le petit déjeuner),
táimid ag dul
suas go barr Thúr
Eiffel. Tá sé
300 méadar ar
airde.

Le grá, Mamaí

Caoimhín de Barra
156 Cosán na dTor
Carraig an Iolair
CA 90263, SAM

FRANCE
3-28

FRANCE
6F

"Amharc, is banríon mé," arsa Máire agus na coirníní gorma a chuir a daidí chuici thart ar a muineál.

"Tá facs níos gasta," arsa Caoimhín, "ach is fearr liom na pictiúir dhaite ar an chárta poist."

Chuir sé biorán gorm ar Pháras, an Fhrainc.

Bhí Áine ina tost.

Seachtain ina dhiaidh sin, léigh siad cárta poist a fuair Máire ó Hondúras.

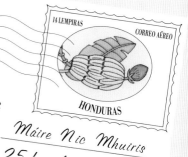

HONDURAS

Aibreán 7
Na Seandálaithe
Copán
Hondúras

A Mháire, a rún,
Daoine iontacha a
bhí sna Máigigh.
Ba ghnách leo
rudaí tábhachtacha a tharla dóibh a
ghreanadh i gcloch.

Agus ba ghnách leo daoine a chur ag
rith tríd an tír le post a chur. Nuair
a d'éirigh duine amháin tuirseach thug
sé an teachtaireacht do dhuine eile
– cineál fadálach!

Beidh mé ag dul go hIúcatán,
Meicsiceo, roimh i bhfad.

Le grá, Daidí

Máire Nic Mhuiris
251, Ascaill na
gCrann Mór
Carraig an Iolair
CA 90263,
SAM

17

Chuir an múinteoir biorán gorm ar an léarscáil agus chruinnigh an rang thart ar an ríomhaire. Bhí mamaí Chaoimhin i ndiaidh ríomhphost a chur chuige ó Nua-Eabhrac.

Ó: **Deirdre de Barra**

Curtha: An Mháirt, 11 Aibreán, 2007, 7:00 r.n.

Chuig: Caoimhín de Barra

Maidir le: Nua-Eabhrac

Chuig Caoimhín agus a chairde,

Seo dóigh iontach furasta le litir a chur. Ní chaithfidh mé stampa a fháil ná dul chuig oifig an phoist. Is maith an rud é, mar tá an t-aerfort i Nua-Eabhrac chomh mór le cathair. Bíonn na céadta eitleán as gach cearn den domhan ag tuirlingt anseo gach lá. Tá súil agam go bhfuil sibh uilig ag obair go crua ar scoil.

Le grá, mamaí Chaoimhín.

19

Ansin fuair Áine cárta poist.
Cuireadh a daidí ag obair ar feadh
tamaill in Arizona, ar an taobh
eile de na Stáit, i bhfad ón áit a
raibh sé féin agus Áine ina gcónaí.

Thug an múinteoir biorán buí
d'Áine le cur ar an léarscáil.
B'fhéidir nach bhfuair sí cárta poist
ó thír eile ach, ar a laghad, fuair
sí cárta poist!

13 Aibreán

Haigh, a Áine,
Cad é do bharúil d'Arizona?
Tá cuma iontach aisteach ar an
tír, nach bhfuil?

Le grá, Daidí
IS. Chífidh mé
amárach thú.

Áine Ní Mhurchú

52, An Garrán Mór

Carraig an Iolair

CA 90263

ARIZONA

21

Caibidil 3
AN LÁ SPÓIRT

Lá arna mhárach, arsa an
múinteoir, "An mhí seo chugainn
beidh lá spóirt againn le cúpla
scoil eile. Tá sibh ag dul a scríobh
chuig bhur dtuismitheoirí, ag
iarraidh orthu cuidiú linn."

18 Aibreán
Na Seandálaithe
Iúcatán, Meicsiceo

Scoil an Bhaile Úir
Bóthar na Silíní
Carraig an Iolair
CA 90263
SAM

A Dhaidí,
Beidh lá spóirt againn an mhí seo chugainn. Tá cuiditheoirí de dhíth orainn. An dtig leatsa cuidiú?

Le grá, Máire.

23

25 Aibreán
Na Seandálaithe
Iúcatán, Meicsiceo

A Mháire, a ghrá,
Buartha, ach ní thig liom cuidiú leis an
scoil. Beidh mé ag tochailt liom anseo.
Tháinig muid ar thaisce
iontach. Beidh sí ar taispeáint
san iarsmalann!
Le grá, Daidí

MEXICO
4-25

4.60
pesos

MEXICO

Máire Nic Mhuiris

251, Ascaill na gCrann Mór

Carraig an Iolair

CA 90263

SAM

Bhí Caoimhín iontach ciúin agus é ag cur biorán gorm i Haváí.

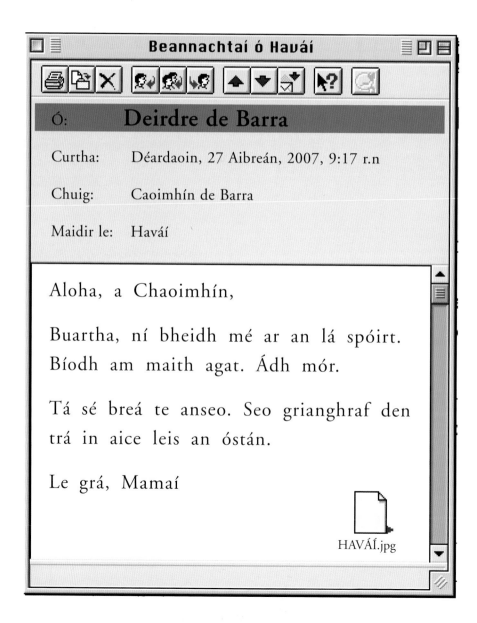

Beannachtaí ó Haváí

Ó: **Deirdre de Barra**

Curtha: Déardaoin, 27 Aibreán, 2007, 9:17 r.n

Chuig: Caoimhín de Barra

Maidir le: Haváí

Aloha, a Chaoimhín,

Buartha, ní bheidh mé ar an lá spóirt. Bíodh am maith agat. Ádh mór.

Tá sé breá te anseo. Seo grianghraf den trá in aice leis an óstán.

Le grá, Mamaí

HAVÁÍ.jpg

27

Ach bhí Áine iontach sásta nuair a fuair sí litir óna daidí féin.

27 Aibreán
52, An Garrán Mór
Carraig an Iolair
CA 90263

Cad é mar atá sibh? Beidh mé
ar ais in am don lá spóirt. Thig
liom cuidiú leis an fhoireann
chispheile. Ba ghnách liom
bheith i m'imreoir iontach maith.

Seán Ó Murchú
Fear Poist.

Go tobann, thuig Áine go raibh daidí ar dóigh aici.

Chomh maith leis sin, gan daoine cosúil le daidí Áine cé a thabharfadh na cártaí poist agus na litreacha as áiteanna iontacha chugainn?

Focal ón Údar

Lá amháin, chuala mé grúpa páistí ag caint ar a dtuismitheoirí. Bhí siad uilig iontach bródúil astu ar dhóigheanna éagsúla. Is breá liom rudaí a fháil sa phost agus shocraigh mé ar an scéal seo a scríobh faoi.

Linley Jones

Focal ón Mhaisitheoir

Tuigim don athair sa scéal seo. Bímse ag obair ón bhaile, ag déanamh léaráidí do leabhair pháistí agus, mar sin de, thig liom dul chuig laethanta spóirt mo chuid páistí agus chuig imeachtaí eile a bhíonn acu. Bím ag teagasc ealaíne sa scoil chomh maith.

Kelvin Hawley